Anni

Illustré par A

Élisabeth princesse à Versailles

2. Le Cadeau de la reine

Albin Michel Jeunesse

Élisabeth

Petite sœur du roi Louis XVI.

Louis XV

Grand-père d'Élisabeth,
roi de France de 1715 à 1774.

Louis XVI

Frère aîné d'Élisabeth,
roi de 1774 à 1793.

Marie-Antoinette

Épouse de Louis XVI,
plus jeune fille de l'impératrice
d'Autriche Marie-Thérèse.

Charles-Philippe

Frère d'Élisabeth.
Marié à Marie-Thérèse.

Louis-Stanislas

Frère d'Élisabeth.
Marié à Marie-Joséphine.

Madame de Noailles

Dame d'honneur de la reine Marie-Antoinette.

Madame de Marsan

Gouvernante d'Élisabeth.

Madame de Mackau

Sous-gouvernante d'Élisabeth.

Angélique de Mackau

Fille de Madame de Mackau, et meilleure amie d'Élisabeth.

Clotilde

Sœur d'Élisabeth.

Colin

Petit valet d'Élisabeth.

Théophile

Page, ami d'Élisabeth.

Dans le tome 1

Un peu sauvage et rebelle, Élisabeth se sent seule au château. Heureusement, elle devient vite inséparable d'Angélique, la fille de sa gouvernante. Ensemble, aidées du jeune page Théo, Élisabeth et Angélique vont découvrir un billet dissimulé dans un précieux automate... et se lancer sur les traces de *La Dame à la rose*, un tableau disparu depuis plus de 30 ans !

Chapitre 1

Élisabeth, assise dans le carrosse, regardait défiler le paysage. La famille royale au grand complet avait quitté le palais de Versailles depuis deux bonnes heures.

La princesse repensa aux derniers événements qui avaient bouleversé sa vie.

Son grand-père, Louis XV, était mort. La Cour[1] partait s'installer au château de Choisy pour se mettre à l'abri de la terrible maladie contagieuse qui avait emporté le vieux souverain.

Le frère aîné d'Élisabeth était monté le jour même sur le trône, sous le nom de Louis XVI.

1. Ensemble des personnes de la noblesse chargées de servir la famille royale. Pour ce voyage, 500 courtisans se déplacèrent de Versailles à Choisy, sur les 10 000 qui composaient la Cour.

– Pauvre Louis-Auguste ! soupira-t-elle. Il n'a que 19 ans. Il est bien trop jeune pour régner !

– Quand ton grand-père sera-t-il enterré ? lui demanda son amie Angélique de Mackau.

– Demain, à la basilique de Saint-Denis, auprès de ses ancêtres.

– Tu n'y assisteras pas ?

Élisabeth fit non de la tête :

– Je n'ai même pas pu lui dire adieu ! Mais il y aura une cérémonie dans quelques mois, le temps de lui construire un beau tombeau de marbre.

Elle se tourna vers Angélique et ajouta :

– Parlons de choses plus gaies ! Tu verras, Choisy est un endroit magnifique. Ce château est construit au bord de la Seine. On pourra peut-être faire des promenades en barque de pêche !

Par chance, la sévère Mme de Marsan, la gouvernante des Enfants de France, ne voyageait pas dans leur carrosse, sans quoi elle lui aurait aussitôt interdit ce divertissement. « Une promenade en barque ? aurait-elle crié. Dieu, que c'est vulgaire ! »

Mme de Mackau, sa nouvelle sous-gouvernante, elle, apprécia :

– Vraiment ? Voilà qui serait bien agréable. Nous en ferons, si cela vous fait plaisir. Nous en profiterons pour observer les poissons et les plantes. Qu'en penses-tu, Angélique ?

– J'adorerais, maman !

À peine arrivés à Choisy, les valets déballèrent les malles dans un indescriptible désordre.

Mme de Marsan rejoignit Mme de Mackau et les filles peu après.

– Les chambres sont peu nombreuses et minuscules ! maugréa-t-elle. On n'y logera jamais 500 courtisans ! Vais-je être obligée de coucher sous les toits, avec les… les domestiques ?

Mme de Marsan se plaignait sans cesse !

– Ce château est très joli, répondit Élisabeth, mais c'est vrai qu'il est bien trop petit pour la Cour. Nous y serons entassés comme des harengs salés dans un tonneau !

– Madame[2] ! s'écria la gouvernante. Mesurez vos paroles ! Voilà des propos de fort mauvais goût !

2. En France, toutes les filles de roi et de Dauphin étaient appelées « Madame » dès leur naissance.

Et elle se tourna d'un air offusqué vers Mme de Mackau. Cette dernière se permit de contredire sa supérieure :

– Je crains que Madame Élisabeth n'ait raison, même si son expression si imagée est assez... inattendue dans la bouche d'une Princesse de France.

Quelle différence entre les deux femmes ! Autant l'une se montrait stricte et désagréable, autant l'autre était juste et humaine.

– J'espère que nous rentrerons vite à Versailles, reprit sèchement Mme de Marsan. Je suis de haute noblesse, et indigne de loger dans de telles conditions !

La réflexion mit Élisabeth en colère :

– Ma sœur Clotilde, mes trois frères, leurs épouses, mes trois tantes et moi-même le supportons. Pourquoi pas vous ?

– Oh ! Impertinente ! pesta la gouvernante avant de sortir, la tête haute.

– Bravo, lui glissa Angélique, tu lui as cloué le bec. Je la déteste.

Elles s'écartèrent pour céder la place à une colonne de valets qui portaient avec grande difficulté le clavecin[3] d'Élisabeth, sa harpe et pour finir quatre énormes malles décorées de fleurs de lys, le symbole de la royauté française.

– Allez prendre l'air, leur proposa Mme de Mackau. Je m'occuperai de faire ranger vos affaires.

– Sans escorte ? s'étonna Élisabeth, qui en était secrètement ravie. Mme de Marsan exige que je sois toujours accompagnée d'un adulte.

La nouvelle gouvernante lui sourit :

– Voici peu de temps, vous m'avez promis de ne plus faire de bêtises. J'ai confiance en vous. Et puis, que peut-il vous arriver ?

– C'est vrai, renchérit Angélique. En plus, je suis avec toi. Je jouerai les gardes du corps

3. Instrument de musique à cordes, ressemblant à un piano.

si quelqu'un s'avise de t'ennuyer ! plaisanta-t-elle.

Une fois au-dehors, les deux filles traversèrent la cour du château. Un grand nombre de carrosses y étaient garés. Des hommes en justaucorps[4] brodés et perruques poudrées en descendaient. Certains portaient des sacoches de cuir et tous affichaient un air anxieux.

– Qui est-ce ? s'inquiéta Élisabeth.

– Je l'ignore...

– Madame ! Mademoiselle ! entendirent-elles.

Le jeune vicomte Théophile de Villebois, leur ami page, ôta son chapeau et les salua d'une profonde révérence.

– Quel voyage ! lança-t-il. Le cortège des carrosses de la Cour s'étirait sur plus d'une lieue[5] ! J'ai fait le chemin à cheval avec d'autres pages. Quelle poussière nous avons avalée !

---

4. Longue veste que portaient les hommes de la noblesse et de la bourgeoisie.

5. Unité de longueur de l'Ancien Régime : 1 lieue équivaut à environ 4 kilomètres.

Élisabeth se mit à rire !

– Êtes-vous correctement logé ?

– Oui, aux écuries, dans un dortoir. Comme je m'entends bien avec mes camarades, je crois que nous nous amuserons beaucoup !

À deux pas, quatre hommes à l'air sombre descendaient d'une voiture. Élisabeth se pencha vers le page pour lui souffler :

– Théo, savez-vous qui sont ces messieurs ?

– Ce sont les ministres de votre grand-père Louis XV. Ils font grise mine car votre frère, notre nouveau roi, risque de les renvoyer. Le pays ne va pas bien...

– Pas bien ? répéta Élisabeth en fronçant les sourcils.

Théo se racla la gorge.

– J'aurais dû me taire...

– Non, Théo ! le supplia la princesse. Jusqu'à présent, on m'a tenue éloignée de tout... Expliquez-moi !

– Le peuple vit dans la misère. Il en a assez des inégalités et veut plus de liberté.

– Ce n'est que justice !

– Je pense comme vous. Mais la plupart des aristocrates désirent garder leurs privilèges[6]. Les nobles et les gens d'Église ne paient pas d'impôts, alors que le peuple, qui ne possède rien, croule sous les taxes...

– Oh... J'ignorais tout cela.

– Et notre violoniste ? demanda-t-il pour changer de conversation. Croyez-vous que nous allons le retrouver ?

Élisabeth possédait un automate[7], une joueuse de clavecin, qui avait appartenu autrefois à la famille de Théo. À l'intérieur, la princesse avait découvert un message codé. Après l'avoir décrypté, elle avait appris qu'un deuxième automate, représentant un violo-

6. Avantages.

7. Machine qui reproduit le mouvement et les attitudes d'un être vivant.

niste, devait les mener à un tableau de grande valeur, *La Dame à la rose,* disparu depuis plus de trente ans.

– Monsieur de Villebois ! appela un garde. On vous réclame aux écuries !

– Dommage, lâcha Théo en soupirant. Je dois déjà vous quitter...

Il salua ses amies et elles regagnèrent à pas lents la porte du château.

– D'après toi, où se cache le violoniste ? demanda Angélique.

– Il doit être dans les appartements de mon Grand-papa Roi... qui sont aujourd'hui ceux de mon frère aîné et de Marie-Antoinette, ma belle-sœur. Par chance, je m'entends bien avec elle. Si nous allions lui rendre visite ?

Chapitre 2

Une incroyable agitation régnait chez Louis XVI et Marie-Antoinette, où les valets déballaient malles et bibelots.

Ici, tout n'était que beauté : meubles dorés, luxueux tapis, lustres de cristal...

Elles découvrirent la nouvelle reine de France au milieu de ses dames. Marie-Antoinette était une ravissante jeune femme de 18 ans, fine et élancée, la peau très blanche et les yeux bleus. Elle était coiffée d'un haut chignon blond poudré et vêtue d'une jolie robe de soie violette.

Pour l'heure, elle affichait une mine morose... qui se transforma en un grand sourire dès qu'elle aperçut Élisabeth :

– Babet ! Quelle bonne surprise ! Voyez comme ce déménagement est ennuyeux ! On manque d'air ici ! J'ai eu beau faire ouvrir toutes les fenêtres, j'ai l'impression d'étouffer !

Le regard d'Élisabeth détailla le mobilier, passant du lit à baldaquin aux élégantes commodes, aux tables de trictrac[8], aux sièges recouverts de tissu brodé, à la cheminée de marbre surmontée d'un miroir... Mais point d'automate !

– La décoration est ravissante, n'est-ce pas ? se méprit la reine en jouant gracieusement de son éventail. Votre grand-père était un homme de goût. Mais, hélas, tout ici est fait pour des poupées ! Nous voici enfermés avec 500 courtisans dans ce château minuscule.

Elle soupira, fit une moue boudeuse et reprit :

8. Jeu de société très apprécié à l'époque qui se jouait avec des pions et des dés.

– Votre frère travaille sans prendre de repos tant ses nouvelles responsabilités pèsent sur lui ! Quant à moi, je m'ennuie. Hé… fit-elle tout à coup, si nous allions nous promener ? Il fait si beau !

– Votre Majesté ! l'interrompit Mme de Noailles, sa dame d'honneur[9]. C'est impossible. Vous devez recevoir les ministres avec Sa Majesté le roi…

Marie-Antoinette haussa négligemment les épaules avant de rétorquer d'un air agacé :

– Ce sont là les affaires de mon époux !

– Mais, l'étiquette[10] l'interdit. Une reine de France ne doit pas…

– Peu m'importe ! la coupa la souveraine. C'est décidé, je sors ! Et je n'ai besoin de personne pour m'accompagner.

– Madame ! s'affola Mme de Noailles. C'est impossible, vous dis-je !

Mais Marie-Antoinette se contenta de rire :

---

9. Femme chargée d'accompagner et de servir une dame de haute noblesse.

10. L'étiquette est l'ensemble des règles et des usages que l'on devait respecter à la Cour.

– Venez-vous, Babet ? Nous pourrions emmener aussi votre sœur Clotilde.

– Mme de Marsan ne l'autorisera pas...

– Au diable, Mme de Marsan ! Elle est si collet monté[11] !

Puis elle se pencha vers sa jeune belle-sœur pour lui glisser tout bas :

– Tout autant que Mme de Noailles. Je l'ai surnommée « Madame l'Étiquette » tellement elle est obsédée par son stupide règlement. Votre amie veut-elle se joindre à nous ? poursuivit-elle tout haut pour donner le change.

Les dames de sa suite poussèrent des « oh ! » stupéfaits et indignés, tandis qu'Angélique, ébahie d'être invitée, s'inclinait dans une profonde révérence :

– J'en serais fort honorée, Votre Majesté.

Mais Marie-Antoinette avait déjà gagné la porte, laissant dans son sillage un parfum délicieux.

---

11. Stricte, sévère.

Chapitre 3

Le temps de demander une calèche, d'aller chercher Clotilde, et elles partirent toutes les quatre en promenade dans les allées du bois tout proche. Protégée du soleil par son ombrelle, Marie-Antoinette plaisantait et faisait rire ses compagnes. Elle était si jolie et si gaie ! Elle parlait avec un léger accent allemand qui la rendait plus séduisante encore.

– Enfin de l'air ! s'écria-t-elle avec plaisir. J'en ai assez de recevoir tous ces honneurs, enfermée dans ces petits salons... Imaginez un peu : je suis sans cesse surveillée par

Mme de Noailles ! Mais me voilà reine à présent, et le roi me soutient. Dorénavant, je ferai ce qui me plaît !

Élisabeth approuva, tandis que Clotilde baissait le nez. Son gros corps serré à étouffer dans une robe de satin, elle murmura avec tristesse :

– Je n'aurai pas votre chance plus tard. Mon futur époux, le prince de Piémont-Sardaigne, est très strict sur l'étiquette...

– Eh bien, plaisanta Marie-Antoinette, il vous faudra le charmer et lui apprendre à l'être moins !

– Jamais je ne saurai... Je suis si laide.

À 14 ans, la pauvre Clotilde n'avait guère confiance en elle. Elle souffrait d'embonpoint. Les courtisans se moquaient d'elle en la surnommant « Gros Madame ».

– D'abord, Clotilde, s'écria Élisabeth, vous n'êtes pas laide ! Ensuite, vous êtes la princesse la plus instruite d'Europe. Votre fiancé serait bien bête de ne pas vous écouter !

– Bravo, Babet ! approuva aussitôt Marie-Antoinette.

Puis elle poussa un cri strident ! Le cheval se cabrait et la calèche tanguait ! Les quatre passagères se cramponnèrent tandis que le cocher descendait en hâte de son banc.

– Que se passe-t-il ? s'inquiéta Élisabeth.

Elle aperçut, allongée dans les feuilles mortes, la silhouette d'une paysanne en robe brune. Près d'elle se tenait un jeune garçon vêtu de loques.

– Je ne l'ai pas vue ! s'écria le cocher. Elle a déboulé sur le chemin... Le cheval s'est emballé...

Il se pencha sur la blessée, cherchant son pouls, tapotant ses joues. La reine et ses compagnes le rejoignirent. Malgré son rang, Marie-Antoinette s'agenouilla près de la femme.

– Il lui faut de l'aide ! lança-t-elle. Vite ! Firmin, ordonna-t-elle au cocher, courez chercher un médecin...

– En vous abandonnant ici ? Certes pas, Madame !

– Eh bien, suggéra Élisabeth, transportons-la dans la voiture jusqu'au château.

– Non ! cria le garçon.

Mais la paysanne reprenait ses esprits. Elle lança un regard effrayé lorsqu'elle vit les luxueuses toilettes des promeneuses, et elle tenta de se relever :

– Oooh, geignit-elle en sentant tout tourner autour d'elle.

– Calmez-vous, lui dit Marie-Antoinette, nous allons prendre soin de vous.

Le garçon s'interposa aussitôt :

– Merci, mais j'suis assez grand pour m'occuper de ma mère. Elle a pas fait exprès de traverser le chemin... Elle est sourde et muette, elle a pas entendu votre voiture. N'nous mettez pas en prison, par pitié ! Que deviendraient mes frères et ma sœur ?

– En prison ? s'étonna Élisabeth. Pourquoi ? Vous n'avez rien fait !

Le garçon parut gêné. Elle l'observa. Il devait avoir 10 ou 11 ans. Ses joues étaient creuses, sales, et ses cheveux noirs tout emmêlés. À ses pieds se trouvait un tas de branchages.

– Ils ramassaient du bois pour leur cheminée, expliqua Firmin. C'est interdit sur le domaine royal.

– Ce n'est pas bien grave ! répondit Élisabeth. Nous pourrions les raccompagner chez eux.

– Vous ? s'angoissa le garçon. Chez nous ? Vous vous moquez ?

– Allons-y, ordonna Marie-Antoinette.

Firmin aida la paysanne à se lever, puis il l'assit sur le banc à côté de lui. Après quoi, son fils grimpa à son tour près du cocher, à qui il indiqua le chemin.

Cinq minutes plus tard, ils arrivaient dans une clairière, devant une petite maison délabrée. Dans un enclos étaient enfermées une chèvre et quelques poules. Trois enfants sortirent aussitôt. Voyant les belles dames, ils saluèrent avec crainte. La pauvre femme, quant à elle, descendit en vacillant.

Elle se tourna vers Marie-Antoinette pour lui adresser quelques gestes étranges.

– Ma mère, traduisit le garçon, vous propose de boire un bol du lait de notre chèvre.

Mais la reine regarda les petits, maigres à faire peur. Si elle acceptait le lait, que prendraient-ils pour leur déjeuner ?

– Je vous remercie pour votre hospitalité. Un peu d'eau nous ira très bien. Où se trouve ton père ? s'inquiéta-t-elle ensuite.

– Il est mort, madame. Je le remplace en travaillant de temps en temps comme manouvrier[12] chez un meunier. Je porte des sacs de farine.

Marie-Antoinette poussa un « oh » stupéfait, tandis qu'Élisabeth s'indignait :

– Tu es bien trop jeune pour porter des sacs !

Et elle se souvint de la leçon de Mme de Mackau : deux enfants pauvres étaient nés le

---

12. Ouvrier sans qualification.

même jour qu'elle. Ils n'avaient pas sa chance et devaient gagner leur vie. Une bouffée de colère monta en elle. Pourquoi était-elle si favorisée par le destin quand tant d'autres vivaient dans la misère ? C'était si injuste !

– Cela te dirait, proposa Élisabeth au jeune garçon, de quitter ton emploi et de travailler pour moi ?

Angélique et Clotilde poussèrent un cri. Engager un inconnu ? Élisabeth était-elle devenue folle ? Mais Marie-Antoinette approuva :

– Pourquoi pas ? J'en parlerai à Mme de Marsan, qui ne saurait me le refuser. Quel est ton nom, petit ?

– Colin, pour vous servir.

– Eh bien, Colin, te voilà valet chez Madame Élisabeth !

– Mad... Mad... s'étouffa le garçon. Élisabeth ? Comme la sœur de notre nouveau roi ? C'est vraiment vous ?

Élisabeth acquiesça, ce qui fit blêmir le petit paysan. Elle sourit et montra sa jeune et jolie compagne :

– Et voici Sa Majesté la reine.

Colin sentit ses jambes se dérober sous lui !

– Sa Maj… Maj…

Il se jeta à genoux, pour embrasser l'ourlet de la jupe de Marie-Antoinette, mais celle-ci le releva avec gêne. Elle sortit une petite bourse de satin de sa poche qu'elle tendit à la femme.

– Mon cheval a failli écraser ta mère, dit-elle à Colin. Il n'est que justice que je paie pour cet incident. Prenez cet argent… Tu te présenteras chez la gouvernante des Enfants de France dès demain.

Chapitre 4

À leur retour, Angélique et Élisabeth coururent raconter leur aventure à Mme de Mackau.

– Voici une belle histoire ! les félicita-t-elle. Grâce à vous, cette famille ne sera plus dans la misère. Colin pourrait devenir notre garçon de courses. Chaque fois que je veux porter un message à Mme de Marsan ou aux communs[14], je dois déranger une femme de chambre. Il pourra coucher avec les serviteurs, et rejoindre les siens tous les dimanches.

---

14. Bâtiments où l'on trouvait les cuisines, les écuries, ainsi que les logements de certains domestiques.

Après un goûter copieux au milieu des malles ouvertes débordant de vêtements, les deux filles décidèrent de partir de nouveau à la recherche de l'automate.

– Rendons-nous chez Louis-Stanislas, proposa Élisabeth.

C'était le plus brillant de ses frères. Très cultivé, il possédait une intelligence des plus vives. Mais, hélas, il ne se souciait guère de ses sœurs ! Elle allait entrer dans ses appartements lorsque, par la porte entrouverte, elle entendit :

– Louis-Auguste ne sera pas à la hauteur. J'aurais fait un bien meilleur roi que lui.

– Vous avez raison, répondit une voix, celle de sa femme Marie-Joséphine. Il est si timide, et se montre si indécis ! Quant à Marie-Antoinette, on ne peut trouver plus mauvaise reine ! Elle néglige ses devoirs et se moque des courtisans !

– Peut-être, renchérit Louis-Stanislas, pour le bien du royaume, devrions-nous… hum ! entrer dans ses bonnes grâces ? Nous pourrions alors diriger l'État à ses côtés… sans qu'il s'en rende compte…

Élisabeth et Angélique allaient rebrousser chemin lorsqu'un valet les aperçut. Reconnaissant la princesse, il l'annonça aussitôt.

– Babet ? s'étonna Louis-Stanislas. Vous n'êtes donc pas avec notre chère Mme de Marsan ?

Il adorait la gouvernante, qui l'avait élevé, et dont il était le préféré.

– Non. Elle s'occupe de Clotilde. Il y a un tel désordre dans mes appartements que j'ai décidé de visiter le château en attendant que mes affaires soient rangées. Puis-je voir votre logis ? On le dit si beau...

Louis-Stanislas n'en parut pas réjoui, mais il ne put refuser.

– Faites, si cela vous chante.

Son épouse Marie-Joséphine, une petite brune de 20 ans à l'air sérieux, les guida dans leurs chambres et salons... Mais, là encore, point de violoniste.

Élisabeth la remercia et elles partirent.

Dès qu'elles furent dans le couloir, Angélique lui souffla :

– As-tu entendu ? Ils espèrent diriger le royaume avec ton frère.

– Louis-Stanislas a toujours été jaloux de Louis-Auguste, expliqua Élisabeth avec une grimace. Peut-être devrions-nous le prévenir ?

– Ce sont là des histoires d'adultes, répondit avec gêne Angélique. Retournons plutôt dans tes appartements, il est tard.

Chapitre 5

Le lendemain, Élisabeth se leva de bonne humeur. Colin devait prendre son service.

Angélique la rejoignit alors qu'elle terminait sa toilette, entourée de ses femmes de chambre qui la coiffèrent en longues boucles attachées par des rubans.

– Aujourd'hui, dit-elle à son amie, nous nous rendrons chez mon autre frère, Charles. Tu verras, il est très drôle. Je l'adore !

Hélas, sa gaieté ne dura guère... L'abbé de Montégut, le professeur de français et de latin, entrait. Vêtements noirs, perruque blanche, air sévère... Élisabeth fit une grimace. Elle n'aimait pas étudier et l'homme prenait plaisir à la rabaisser dès qu'il en avait l'occasion. Qu'allait-il inventer pour lui gâcher sa journée ?

– Eh bien, commença-t-il, Mme de Mackau pense que vous retiendrez mieux vos leçons en vous amusant. Mme de Marsan a donné son accord. Elle estime que cela vous sortira peut-être de votre bêtise...

– Mesurez vos propos, s'indigna Élisabeth. Si je suis mauvaise élève, je ne suis pas sotte pour autant !

Au lieu de sermonner la princesse, Mme de Mackau se tourna vers l'homme :

– Monsieur l'abbé, vous vous trompez. Madame Élisabeth vous étonnera un jour, je peux vous l'assurer !

Le professeur serra les lèvres sous la critique :

– J'en doute. Comme on dit : « On ne peut pas transformer un âne en cheval de course. » Mais tentons tout de même l'expérience. Puisque l'on doit s'amuser, nous allons... faire... du théâtre.

Élisabeth poussa un cri de joie :

– Ouais !!!!

– Pardon ? la coupa la gouvernante d'un ton réprobateur.

– Je voulais dire, se reprit-elle, que j'apprécierais beaucoup de jouer la comédie. Qui participera ?

– Eh bien, vous, Madame Clotilde, ainsi que votre amie Angélique. Nous répéterons et vous interpréterez dans quelques jours une courte pièce devant la famille royale.

– Ouais !!! Euh... Je voulais dire, j'en suis vraiment ravie.

Le professeur tendit aux trois filles plusieurs feuillets sur lesquels Élisabeth reconnut l'écriture de Mme de Marsan. En quelques scènes, elle y racontait les malheurs d'une demoiselle qui avait désobéi à ses parents. À la fin, elle se rendait compte qu'elle avait mal agi et tout le monde s'embrassait. Naturellement, Élisabeth hérita du rôle de l'héroïne, tandis que Clotilde faisait le père et Angélique, la mère.

– Cela ressemble à un mauvais conte de fées ! lança Élisabeth en se mettant à rire.

Le professeur la réprimanda aussitôt :

– Contentez-vous de connaître votre texte par cœur et de le réciter correctement !

– Je le ferai, Monsieur l'abbé, se reprit-elle d'un air faussement sérieux.

Comme elle possédait une bonne mémoire, elle apprit très vite son rôle. Malheureusement, la mise en scène était loin d'être réussie ! Alors qu'elle demandait pardon à ses parents, le professeur exigea :

– À genoux, je vous prie. Les mains croisées sur le cœur et le front haut, cela donnera plus de grandeur à la pose.

Élisabeth obéit. Mais elle se sentait si ridicule qu'elle fut prise d'un énorme fou rire. Elle en mangea sa réplique !

– Ah non! s'indigna Clotilde. Si vous riez, je ne pourrai continuer...

– Excusez-moi.

Élisabeth tenta de se reprendre et poursuivit :

– *Pardonnez-moi, mon père, d'avoir désobéi, je ne recommencerai plus...*

– *Ma fille, je vous pardonne !* s'écria Clotilde d'un air digne.

Puis Angélique aida Élisabeth à se relever et, enfin réconciliés, tous les trois s'embrassèrent.

Colin, debout près de la porte, en était si ému qu'il se mit à applaudir !

– Que c'est beau… déclara-t-il. J'comprends rien à votre histoire, mais c'est vraiment bien dit !

Finalement, après deux heures de répétitions, l'abbé se montra satisfait. Il s'en alla en compagnie de Clotilde, et les leçons se poursuivirent avec Mme de Mackau.

Élisabeth railla aussitôt :

– Cette pièce est si ridicule !

La gouvernante sourit, avant de la corriger gentiment :

– Soyez indulgente. Certes, son texte n'est pas très bon, mais Mme de Marsan l'a écrit avec tout son cœur... Reprenons ! Nous allons faire un peu d'histoire. Qui peut me dire quel roi régna en France après le grand François Ier ?

Colin, dans son coin, suivait la leçon, bouche bée. Élisabeth, qui n'avait guère envie d'étudier, se tourna vers lui pour plaisanter :

– Tu le sais, toi, qui régna en France après François Ier ?

Le nouveau valet baissa le nez, le rouge aux joues. Il avoua avec gêne :

– Je l'ignore, madame, mais j'aimerais bien le savoir… Dites, j'peux rester pour écouter ?

Ce fut au tour de la princesse de demeurer bouche ouverte. Le petit paysan avait donc envie d'apprendre ?

Colin, croyant qu'on allait le disputer, se dépêcha de déclarer :

– Bon, faut que j'file. Y a sûrement du travail qui m'attend… Ma mère sera pas contente si j'suis payé à paresser…

Il fit demi-tour, tout prêt à s'enfuir.

– Colin ! s'écria Élisabeth. Cela te plairait vraiment de connaître ces choses ? François Ier, et tout ça ?

– Pour sûr, Madame… Mais j'suis bête comme un âne… J'sais point lire et écrire… et pourtant j'aimerais tant apprendre…

Les larmes perlèrent aux yeux d'Élisabeth. Elle ne put s'empêcher de souffler :

– Eh bien, il n'y a qu'un âne, ici. Moi, qui n'apprécie guère les études.

Puis elle demanda à Mme de Mackau :

– Colin peut-il écouter votre leçon ?

– Nous ferons mieux que cela, lança la gouvernante. Vous lui enseignerez la lecture et l'écriture, puisqu'il en a envie.

– Moi ?

– Bien sûr, vous ! Vous n'êtes bêtes ni l'un ni l'autre. En faisant venir Colin au château, vous devenez responsable de lui... Vous en sentez-vous capable ?

Élisabeth quêta du regard l'avis d'Angélique, qui acquiesça. Elle se tourna ensuite vers le jeune domestique :

– Je vais essayer. Et toi, Colin, tu veux essayer ?

Ses prunelles marron s'éclairèrent d'une lueur de joie :

– Oui, Madame. Merci ! J'vous serai redevable toute ma vie !

– Arrête ! s'écria la princesse, émue. Voilà que tu me fais pleurer ! Viens t'asseoir. Il nous faut du papier et un crayon.

Élisabeth soupira. Elle se rappela comment elle-même avait appris. La sévère Mme de Marsan avait tenté de le lui enseigner, sans succès. La gouvernante, excédée par ses colères et ses insolences, avait baissé les bras. Clotilde alors, avec patience, avait tracé des lettres, et sa petite sœur l'avait imitée.

À peine attablée, Élisabeth dessina un grand A.

– Voici le A, expliqua-t-elle à Colin. A comme Âne, ou comme Armoire, ou...

– Arbre ?

– Oui ! s'écria-t-elle en lui tendant le crayon. À toi, écris un A...

Chapitre 6

La leçon terminée, Mme de Mackau envoya Élisabeth et Angélique se détendre dans le parc.

– À présent, mon garçon, déclara-t-elle à Colin, parlons un peu de ton travail...

Élisabeth sortit, tout heureuse. C'était si bon de se sentir utile ! Angélique prit son bras et la félicita :

– Ce que tu as fait est très bien. Tu vas changer la vie de ton nouveau valet.

– J'en suis contente pour lui !

Angélique se mit à rire :

– Dire que voici quelques jours tu criais qu'apprendre ne servait à rien.

Élisabeth haussa les épaules :

– J'avais tort. Si nous marchions jusqu'au bord de la Seine ?

Elles traversèrent les jardins de bosquets taillés et de parterres de fleurs colorées. Au bout, la terrasse surplombait le fleuve. La vue était splendide ! Sur la berge, elles aperçurent Théo. Leur ami, assis dans l'herbe, observait une jolie barque aux sièges dorés et aux voiles rouges, qui s'apprêtait à lever l'ancre.

Il se mit debout et vint à leur rencontre :

– Quel superbe bateau ! Je rêve de partir un jour, au bout du monde... aux Amériques...

Un homme répliqua en riant :

– Eh bien, cette coquille de noix ne vous mènera guère qu'à Paris !

– Charles ! s'écria Élisabeth en reconnaissant son plus jeune frère.

Elle courut se jeter dans ses bras. Le prince la souleva pour l'embrasser sur les deux joues. Charles-Philippe de France était très différent du timide Louis-Auguste et du brillant Louis-Stanislas. Ce qui frappait d'abord en le voyant, c'était sa beauté et son élégance. Châtain clair aux yeux bleus, toujours souriant, il adorait faire de l'exercice: cheval, jeu de paume[15], escrime, danse, il était doué pour tout!

Angélique et Théo s'empressèrent de se courber dans une révérence à laquelle il répondit par un salut du menton.

– Alors, Babet, lança-t-il à sa sœur, vous voulez donc voguer au-delà des mers, vous aussi?

– Non point, mon frère, je me promène entre deux leçons. Et vous?

– Je m'apprête à prendre le large pour une heure. J'aurais aimé vous inviter, s'excusa-t-il, mais j'ai promis d'emmener des amies...

15. Sport qui se joue avec une balle et la paume de la main en guise de raquette. Ancêtre du tennis.

Et il se précipita à la rencontre de trois ravissantes demoiselles. Aucune, constata Élisabeth, n'était son épouse Marie-Thérèse.

Charles était un vrai séducteur ! Son mariage lui avait été imposé et il n'appréciait guère sa jeune femme, qu'il négligeait. Avant qu'ils embarquent, Élisabeth l'interpella :

– Mon frère ! Auriez-vous aperçu dans vos appartements un des automates de Grand-papa Roi ?

– Un automate ? répéta-t-il en riant. Grand Dieu, non ! Qu'en ferais-je ! Je suis désolé, ma Babet, je n'en ai pas vu.

Puis, sans plus attendre, il aida ses jolies invitées à s'asseoir dans la barque. Une fois les passagers calés sur les sièges dorés aux confortables coussins, l'ancre fut levée par les marins, et les voiles rouges se gonflèrent.

– Encore raté ! soupira Élisabeth. Où diable peut être ce violoniste ?

– Madame ! cria quelqu'un.

Elle se retourna. Colin courait vers eux.

– Madame ! Faut que j'vous cause !

Il allait si vite qu'il en perdit son tricorne[16] ! Il le ramassa, s'en recoiffa en hâte et reprit sa course. Théo fronça les sourcils :

– Qui est ce malappris qui se permet de vous interpeller si grossièrement ?

En digne gentilhomme, il se plaça devant Élisabeth et bomba le torse, comme pour la protéger.

– Eh bien, maraud[17], lança-t-il à Colin, sont-ce des façons de s'adresser à une Fille de France ?

Colin s'arrêta net :

– J'pensais pas à mal, m'sieur ! Faites excuse. Mais faut que j'parle à Madame...

16. Chapeau à la mode à l'époque, triangulaire à bords repliés en trois cornes.

17. Insulte ancienne : scélérat, mauvais garçon.

Élisabeth avait envie de rire ! Elle repoussa le chevaleresque Théo et lui expliqua :

– Voici Colin, mon nouveau valet. Il a pris son service aujourd'hui et ne connaît pas encore les usages de la Cour. Il est sous ma responsabilité.

Théo sembla si étonné que les deux amies lui contèrent comment elles avaient rencontré Colin.

Comme le jeune domestique était impatient de parler, Élisabeth se tourna vers lui :

– Mme de Mackau t'envoie-t-elle me chercher ?

– Non point ! Mais faut que j'vous remercie de nouveau pour l'emploi et le costume neuf. Et aussi de m'apprendre à lire et à écrire...

– Je le fais de bon cœur...

– Mais, insista fièrement Colin, j'vous suis redevable à jamais ! Demandez ce que vous voulez, j'obéirai !

Élisabeth se mit à rire :

– Je n'ai besoin de rien. Comme tu peux le voir, le destin m'a pourvue de tout ce dont on peut rêver... Ah si, réfléchit-elle tout à coup, tu peux me rendre un service. Dans les prochains jours, tu auras l'occasion de porter des messages dans le château. J'aimerais que tu observes les objets. Si tu aperçois un automate...

– Un automate ? C'est quoi ?

– Une sorte de poupée mécanique qui fait de la musique. Si tu en trouves une qui représente un violoniste, viens tout de suite m'avertir.

Colin promit, puis il partit en reculant et en saluant à grands coups de chapeau, avec un sourire ravi.

– Rentrons, fit Élisabeth. Mme de Mackau doit nous attendre...

Chapitre 7

Deux jours plus tard, le nez dans son cahier, Élisabeth soufflait de désespoir. Les opérations s'y étalaient et elle n'avait aucune envie de les faire.

Son regard se perdit au-dehors, par-delà les grilles de Choisy. Elle aurait tant aimé se promener à cheval, galoper dans les bois, ou encore voguer en barque avec son frère Charles.

Elle fixa les nuages... Quelles drôles de formes ils prenaient ! L'un ressemblait à un carrosse, un autre avait une tête de femme grimaçante... On aurait dit Mme de Marsan lorsqu'elle faisait les gros yeux... Élisabeth se mit à sourire.

– Madame, lança la voix toute proche de Mme de Mackau, un peu de courage ! Plus que trois divisions et vous aurez terminé.

Élisabeth afficha une moue douloureuse qui fit rire Angélique :

– Allez, un petit effort, renchérit son amie. Moi, j'ai fini les miennes.

– Oui, mais toi, tu es douée. Ce n'est pas comme moi...

– Tututut !!! intervint Mme de Mackau en lui pressant l'épaule. Vous êtes douée aussi, madame. Je vous interdis d'en douter. N'avez-vous pas décrypté un message codé voilà peu ?

– C'est vrai...

– Eh bien, vous voyez. Je vous laisse encore cinq minutes.

La mère et la fille s'éloignèrent vers la terrasse. Élisabeth mordilla le bout de sa plume,

souffla de plus belle, et se remit à calculer en comptant sur ses doigts. Quelques secondes plus tard, elle sourit. Finalement, ces opérations n'étaient pas si compliquées ! Il suffisait de se concentrer un peu…

– 144 divisé par 12, cela fait…

– Madame ? lui glissa soudain Colin.

Élisabeth sursauta, sa concentration s'était envolée, tout comme le résultat de sa division.

– Que veux-tu ? lui demanda-t-elle d'un ton agacé.

Colin eut un geste de recul tant l'accueil de la princesse était froid !

– Faites excuse, mais fallait que j'vous dise, pour l'automate…

Elle se radoucit aussitôt.

– Tu l'as trouvé ?

– Non point… mais j'le cherche !

Élisabeth poussa un soupir de déception.

– Attendez ! poursuivit le garçon. Grâce aux passages secrets réservés aux domestiques, j'ai déjà parcouru la moitié du château. J'visite les chambres des courtisans, quand ils y sont pas !

Ce pauvre Colin semblait si fier de son exploit qu'elle ne put que le remercier :

– Bravo ! Plus que l'autre moitié à fouiller…

– Eh bien, Colin, le réprimanda la gouvernante, tu ne peux pas parler à ta guise à Madame ! C'est fort impoli ! Reviens à 5 heures pour ta leçon, et file patienter dans le couloir !

Le jeune valet s'enfuit aussitôt.

– Il est fort gentil, soupira la femme, mais il ne respecte aucune règle… Voyons ces divisions… Puis nous aurons notre leçon d'italien chez votre sœur, avec le *signor*[18] Goldoni.

Cette nouvelle arracha un sourire ravi à la princesse : elle adorait le *signor* Goldoni, un

18. « Monsieur » en italien.

homme de lettres facétieux avec qui on apprenait dans la bonne humeur.

– Ensuite, poursuivit la gouvernante, nous répéterons une dernière fois.

Ce soir-là, Clotilde, Angélique et Élisabeth interpréteraient leur pièce devant la famille royale, peu après le souper.

– Vivement la représentation ! s'écria Élisabeth.

Mais, le moment venu, elle montra beaucoup moins d'enthousiasme ! L'estomac noué, le cœur au bord des lèvres, elle sentait son pouls s'affoler :

– Ohoo !!!! J'ai si peur, avoua-t-elle d'un ton angoissé. Ne peut-on présenter notre pièce demain ?

– Un peu de bravoure, que diable ! la rabroua Mme de Marsan. Vous êtes une Fille de France ! Une princesse ne saurait manquer de courage !

Les trois actrices et les deux gouvernantes empruntèrent un long corridor. Au bout, les jeunes filles eurent la surprise de découvrir une pièce magnifique. Il s'agissait de la salle à manger que le vieux roi Louis XV avait fait construire voici quelques années, dans un petit pavillon. Le souverain la voulait d'un faste[19] sans pareil. Des boiseries dorées ornaient les murs, les marbres les plus beaux décoraient les sols. Une grande table ronde trônait au beau milieu, couverte des reliefs du repas, d'assiettes de porcelaine et de verres en cristal. De délicates pâtisseries garnissaient encore certains plats ; bouquets de fleurs et bibelots en décoraient le centre.

– Quelle splendeur ! murmura Angélique.

La merveilleuse salle surplombait la Seine. Le soleil se couchait, lançant des rayons orangés qui se reflétaient dans les miroirs et dans le grand lustre.

---

19. Magnificence, luxe que l'on étale pour être vu.

De confortables sièges, où avait pris place la famille royale, entouraient une estrade de bois installée dans un coin.

– Les voilà ! s'écria joyeusement Louis-Auguste, le nouveau roi Louis XVI.

Il se leva et vint les accueillir. Autour de la scène improvisée, Marie-Antoinette, Louis-Stanislas, Charles et leurs épouses, ainsi que leurs trois tantes, les reçurent avec des rires ravis.

À présent, Élisabeth tremblait ! Louis-Auguste fit mine de ne rien remarquer.

Malgré son sourire, le pauvre avait l'air si fatigué ! Il devait sans doute travailler plus que de raison avec ses ministres.

Il conduisit ses deux sœurs, chacune à un bras, jusqu'à l'estrade. Les deux gouvernantes reculèrent jusqu'au mur, tandis que les jeunes filles commençaient à déclamer.

Elles récitèrent leur texte avec tant de conviction qu'elles arrachèrent des « oh »

et des « ah » aux spectateurs. Quel tonnerre d'applaudissements elles reçurent dès la pièce finie ! Ce fut un vrai succès !

Élisabeth s'avança.

– Aimable public, lança-t-elle après avoir salué, merci de...

Elle allait poursuivre lorsque son souffle se bloqua dans sa poitrine. Là, sur la table, au milieu des fleurs et des bibelots... Il y avait un automate... Le violoniste !

– Oui ? l'encouragea Louis-Auguste.

– ... de... nous... avoir... écoutées...

Mais, horreur ! Par un étrange prodige, la table ronde s'enfonça dans le sol, emportant avec elle nappe et vaisselle ! Non, elle n'avait pas la berlue ! La table disparaissait bel et bien !

– Regardez ! s'écria-t-elle en la pointant du doigt.

Mme de Marsan, mortifiée par ce geste peu convenable, lui fit les gros yeux mais, par chance, personne n'en tint rigueur à la princesse. Après quelques murmures, toute la famille se mit à rire. Louis-Auguste expliqua :

– Il est vrai, Babet, que vous ne connaissez pas ce merveilleux endroit. Notre grand-père a fait fabriquer cet ingénieux système afin de ne pas être dérangé par les valets lorsqu'ils apportent les plats, ou qu'ils les débarrassent. On nomme ceci la « table volante ». Elle est unique en son genre. Elle descend au sous-sol, puis remonte quelques instants plus tard, desservie et propre, sans qu'aucun des invités ait eu à cesser sa conversation à cause de la présence des domestiques.

« Ainsi, réfléchit Élisabeth, il existe un sous-sol, où le personnel travaille dans l'ombre... et où le violoniste a disparu. Comment le retrouver à présent ? »

La tante Adélaïde interrompit brutalement les pensées d'Élisabeth :

– J'espère, ma nièce, que cette belle pièce vous aura donné à réfléchir, et que vous deviendrez vous-même plus obéissante, à l'avenir...

– Bien sûr, ma tante, répondit machinalement Élisabeth, les yeux fixés sur le trou.

Quelques minutes plus tard, les actrices et leurs gouvernantes prenaient congé.

Alors qu'Élisabeth passait à côté de la fameuse table volante, promptement débarrassée et remontée, elle se demanda comment descendre dans le souterrain...

Chapitre 8

Au retour de leur représentation, elle n'avait cessé, avec Angélique, d'échafauder des plans pour récupérer l'automate.

– Colin a dit que l'on pouvait visiter le château sans se faire voir, grâce aux couloirs secrets réservés aux domestiques.

– C'est vrai, confirma Angélique, il existe un souterrain. Je couche aux communs avec ma mère. Certains domestiques l'empruntent pour apporter les plats chauds depuis les cuisines jusqu'aux appartements... Veux-tu que j'essaie, cette nuit, de trouver le passage qui mène au-dessous de la table volante ?

– Non ! Si on te surprenait, tu serais punie. Nous demanderons plutôt à Colin. Il est vêtu de l'uniforme bleu des valets du roi et passera inaperçu.

Le lendemain, juste après la toilette d'Élisabeth, son frère Charles vint leur proposer une promenade en barque. Mme de Mackau, voyant l'enthousiasme des deux amies, accepta sans se faire prier d'annuler les leçons de latin et de grammaire.

Charles était un compagnon bien agréable ! Du haut de ses 17 ans, il dirigeait l'embarcation comme un amiral !

– Larguez les amarres ! cria-t-il

La gouvernante profita de l'occasion pour donner aux filles une de ces leçons dont elle avait le secret.

– Eh bien, leur demanda-t-elle, dans quel sens l'eau coule-t-elle ? Observez un peu le courant...

C'était bien plus drôle que de travailler dans le petit salon ! Les réponses ne tardèrent pas à fuser, et la gouvernante poursuivit :

– Savez-vous où la Seine prend sa source ? Et dans quelle mer elle se jette ? Quelles villes traverse-t-elle ?

De nouveau, Élisabeth et Angélique répondirent de bon cœur !

Après avoir regagné la berge, elles retournèrent à leurs leçons. Élisabeth, qui espérait trouver son nouveau valet à la porte de ses appartements, s'étonna de son absence :

– Où est Colin ?

– Je l'ai envoyé porter un message, expliqua Mme de Mackau. Vous le verrez tout à l'heure, lorsque vous lui apprendrez à lire et à écrire.

Élisabeth acquiesça. Elle avait déjà en tête de fabriquer des petits carrés de papier sur lesquels elle noterait toutes les lettres de l'alphabet. Il lui suffirait ensuite de les rapprocher les unes des autres pour former des mots.

– Au travail ! lança la gouvernante. Nous allons faire un peu de calcul en attendant votre leçon avec le *signor* Goldoni.

C'était toujours une joie de rencontrer l'auteur italien. Mais, ce matin-là, elles le découvrirent seul dans le salon de Clotilde.

– Je crois qu'il y a un... problème, leur glissa-t-il de sa voix à l'accent chantant.

Et il montra discrètement du pouce la porte de la chambre. Élisabeth et Angélique s'y précipitèrent.

Clotilde semblait bouleversée et Mme de Marsan tournait en rond, bras croisés.

Tout d'abord, Élisabeth pensa que la gouvernante avait puni sa sœur. Mais c'était impossible ! Clotilde était la perfection même. Elle n'élevait jamais la voix, ne désobéissait pas. Il n'existait pas d'élève plus attentive. Non, il s'agissait sûrement d'autre chose...

– Je refuse ! s'écria Clotilde. C'est humiliant !

Mme de Marsan finit par dire d'un ton doux auquel personne n'était habitué :

– Vous ne pouvez vous y soustraire, hélas. Le roi du Piémont l'exige.

Clotilde, âgée de 14 ans, devait se marier avec le prince héritier de Piémont -Sardaigne.

– Que désire-t-il ? demanda Élisabeth.

Clotilde raconta alors, le rouge aux joues :

– Mon fiancé a vu mon portrait. Il dit que je suis trop grosse. Et comme il m'épouse pour raison d'État, il veut être sûr que je ne souffre pas d'une maladie m'empêchant de lui donner des enfants.

– C'est un idiot ! réagit aussitôt Élisabeth. Quel goujat !

Clotilde s'essuya les yeux avec son mouchoir bordé de dentelle :

– Il exige que je sois examinée, toute nue, par son médecin et son ambassadeur ! Dieu que j'ai honte !

– Allons, tenta de la calmer Mme de Marsan, beaucoup de princesses sont passées par là avant vous. Prenez par exemple votre belle-sœur, Marie-Antoinette... Votre grand-père Louis XV trouvait qu'elle manquait de poitrine, et que ses dents étaient tordues... Il a réclamé qu'elle soit soignée par un dentiste. Et votre autre belle-sœur, Marie-Joséphine... Elle est très brune et fort... hum... poilue. Les courtisans en ont fait des gorges chaudes[20]. Eh bien, on l'a obligée à s'épiler... Une princesse, mesdames, n'est pas une personne ordinaire, elle se doit tout entière à son futur pays.

Clotilde poussa un soupir :

– Je vais y réfléchir... Je suis désolée, ajouta-t-elle dans un sanglot, je n'ai guère le cœur à travailler. Permettez-moi de ne pas suivre la leçon d'italien.

– Bien. Je l'annule pour aujourd'hui.

Puis, voyant les larmes qui coulaient sur ses joues, Mme de Marsan lui glissa avec compassion :

– Vous n'êtes peut-être pas d'une grande beauté, Madame Clotilde, mais le Ciel vous a parée de toutes les qualités. Votre fiancé le comprendra dès qu'il vous apercevra. Remet-

20. Se moquer, faire des plaisanteries méchantes.

tez-vous... Que diriez-vous de rendre visite à Sa Majesté la reine, afin de la remercier de son cadeau ?

Elle se retourna et montra une poupée sur une commode.

– Le violoniste ! hurla Élisabeth.

Le cri fit sursauter tout le monde. Elle se précipita vers l'automate et s'en saisit. Sa sœur, étonnée par son enthousiasme, s'approcha :

– Marie-Antoinette me l'a fait porter ce matin. Elle l'a découvert dans sa garde-robe, au milieu de bibelots anciens. Comme elle sait que la guitare et le violon sont mes instruments préférés, elle me l'a offert. Eh bien, ma Babet, il a l'air de vous plaire...

– Figurez-vous que votre violoniste appartient à un orchestre de trois automates. Je possède déjà la joueuse de clavecin, que m'avait donnée Grand-papa Roi. Le troisième est une flûtiste qui a disparu voici bien longtemps.

Clotilde était la bonté même. Elle songeait toujours aux autres. Malgré ses problèmes, elle afficha un gentil sourire :

– Notre grand-père les collectionnait. Je crois avoir vu votre flûtiste au château de Trianon… Mais trêve de bavardages ! Voulez-vous celui-ci ? Je vous l'offre de grand cœur. Je ne pense pas que Marie-Antoinette en sera fâchée. Elle l'avait apporté au repas d'hier pour me le remettre après notre spectacle. Malheureusement, la table volante l'a avalé en même temps que la vaisselle sale !

– Je vous remercie, lança Élisabeth avec effusion. Vous ne pouviez me faire plus grand plaisir !

Puis, l'automate serré contre elle, elle se tourna vers Mme de Marsan :

– Je ne manquerai pas de remercier aussi Sa Majesté la reine. À présent, puisque nous n'avons pas notre leçon d'italien, permettez que je retourne auprès de Mme de Mackau.

Elle fit une petite révérence polie à la gouvernante, qu'Angélique s'empressa d'imiter. Puis toutes deux sortirent d'un pas digne. Mais, à peine arrivées à l'angle du couloir, elles se mirent à crier et à sauter de joie sous l'œil stupéfait d'un garde !

– Nous avons le violoniste ! cria la princesse.

– Montre !

Élisabeth le tendit à Angélique pour qu'elle puisse le regarder de plus près.

– C'est bien lui ! Un homme debout face à un pupitre, commenta-t-elle.

Et elle colla son nez à deux doigts du visage de l'automate.

– Il tient d'une main le violon calé dans son cou et, de l'autre, l'archet. Il semble si vivant qu'on dirait qu'il lit la partition posée devant lui...

– Tu as raison. J'espère qu'il fonctionne encore. Rentrons vite à mes appartements. Nous saurons bientôt s'il contient un nouvel indice.

Mme de Mackau les vit revenir dans une grande excitation. Dès qu'elle aperçut la boîte à musique, elle en comprit la cause.

– Je constate, lança-t-elle en riant, que la chasse au trésor continue !

– S'il cache un message codé, répondit Élisabeth, nous pourrons poursuivre notre enquête et trouver *La Dame à la rose*. La famille de Théo sera riche de nouveau !

– Angélique, demanda Mme de Mackau à sa fille, envoie Colin chercher le petit M. de Villebois. Je crois qu'il sera heureux de découvrir votre trouvaille.

– Vas-y vite, s'écria Élisabeth. Pendant ce temps, je commence à fouiller notre musicien.

Mais Colin n'était pas à son poste et Angélique dut courir jusqu'aux écuries où le page s'entraînait à la voltige. Dès que l'écuyer chargé de son instruction apprit que la sœur du roi réclamait sa présence, il lui ordonna d'un ton solennel :

– Tâchez, Monsieur le vicomte, de bien vous tenir et de vous conduire en gentilhomme. L'honneur des pages de Sa Majesté est entre vos mains.

Théo se mit aussitôt au garde-à-vous :

– Vous pouvez compter sur moi, monsieur !

Ils arrivèrent dans les appartements d'Élisabeth aussi essoufflés qu'excités ! En les attendant, la princesse avait déshabillé le violoniste. Hélas, elle affichait un air morose.

– Pas de message ? supposa Angélique.

La princesse fit « non » de la tête.

– Pas le moindre ! soupira-t-elle. J'ai regardé partout. J'ai même enlevé sa perruque. Rien dans le mécanisme, rien dans le violon, rien non plus dans la petite estrade sous ses pieds...

– Que disait le précédent message ? demanda Théo.

– « *Pour trouver* La Dame à la rose, *observez le violoniste, il vous mènera à elle.* »

– Eh bien, observons-le ! Pouvez-vous le mettre en marche ?

Élisabeth remonta à fond la clé du mécanisme et reposa l'automate sur la table. Il commença aussitôt à jouer une ravissante mélodie, son bras nu d'ivoire et de métal faisant aller et venir l'archet sur le violon. De temps en temps, la main se tendait vers la partition, comme pour en tourner les pages.

– Je vous l'avais bien dit, pesta-t-elle, il n'y a rien. Rien de rien ! Il fonctionne parfaitement... et il ne cache aucun secret.

– Quelle malchance !

Théo haussa les épaules, fataliste.

– Eh bien, soupira-t-il, ma famille ne sera pas riche ! Tant pis ! J'aurais...

Des cris retentirent dans l'antichambre, lui coupant la parole.

– Halte-là, au nom du roi !

– Qu'est-ce donc ? s'inquiéta Élisabeth.

– On dirait le garde de service, répliqua Angélique.

La porte s'ouvrit à la volée. Un Colin tout échevelé déboula dans la pièce d'un air affolé. À ses trousses il y avait le garde, mais aussi un seigneur richement vêtu. Élisabeth se souvenait de lui : il se trouvait avec les ministres, le jour de leur arrivée.

– Colin ! s'écria-t-elle. Que se passe-t-il ?

– J'ai rien fait ! Madame, aidez-moi !

– Voleur ! hurla l'homme.

Mme de Mackau tenta d'intervenir, mais le garde fut le plus rapide :

– Ton compte est bon !

D'un geste vif, il attrapa Colin par le col de sa veste avant que celui-ci essaie de s'échapper. Mais le serviteur se débattait, donnant coups de poing et de pied.

– Aidez-le, Théo ! s'écria à son tour Élisabeth. Par pitié !

Le page obéit. N'écoutant que son courage, il se précipita dans la bagarre. Il aurait sans doute réussi à libérer Colin si le courtisan ne l'avait repoussé violemment.

– En voilà assez ! ordonna Mme de Mackau. Vous vous trouvez dans les appartements d'une Fille de France, la propre sœur de Sa Majesté ! J'exige de savoir ce qu'il se passe !

Instantanément, les deux hommes se figèrent, tandis que Colin en profitait pour s'esquiver et venir se cacher derrière les jupes de la gouvernante.

Le courtisan s'avança d'un air méprisant, le menton haut :

– Nous avons surpris ce vaurien dans ma chambre, à fouiller mes documents ! Des papiers importants que le roi devait signer !

– C'est pas vrai, s'emporta Colin. J'ai touché à rien ! J'suis juste entré...

Élisabeth retint son souffle... Colin s'était-il fait attraper en cherchant le violoniste ?

– Juste entré ? répéta le seigneur en ricanant. Me prends-tu pour un sot ? Tu es un voleur ! Et sais-tu ce que l'on fait aux voleurs ? On les met en prison et on les pend !

Élisabeth cria de peur, presque aussi fort que Colin. Mme de Mackau leva les bras dans un geste d'apaisement :

– Il y a sûrement une erreur. Ce brave petit ne ferait pas le moindre tort à quiconque...

– Cessez de le défendre ! s'indigna l'homme. Je suis le comte de Gransay, secrétaire d'État aux Finances, et j'exige que ce garçon soit arrêté ! J'ai des témoins de son crime.

Le garde se racla la gorge, gêné. Il se tourna vers la gouvernante :

– Faites excuse, madame, mais je dois l'emmener chez le prévôt de l'Hôtel du roi[21]. S'il est innocent, la justice le prouvera.

Quelques secondes plus tard, Colin était violemment entraîné.

– Ne t'inquiète pas, lui promit Élisabeth, nous allons te sortir de là !

À peine la porte refermée, elle se mit à crier :

– C'est de ma faute ! Je lui ai demandé de rechercher le violoniste et il m'a obéi. Il m'a raconté qu'il était entré dans la moitié des logements du château et je l'ai encouragé à continuer...

La gouvernante la regarda, horrifiée :

– Ce que vous avez fait est stupide, madame ! À présent, la vie de ce garçon est en danger. Si on l'a vraiment surpris chez un secrétaire d'État, à fouiller dans des docu-

---

21. Le prévôt de l'Hôtel du roi était un officier chargé de la police dans tous les lieux où le roi se trouvait.

ments confidentiels, il se peut même qu'on l'accuse d'espionnage.

– C'est impossible ! Colin n'a que 10 ans !

Mme de Mackau soupira avec inquiétude :

– À Paris, tous les jours, des enfants sont enfermés. La police fait peu de cas de leur âge !

– Eh bien, proposa Élisabeth, j'irai témoigner pour lui auprès du prévôt !

– Une Fille de France chez le prévôt ? s'indigna-t-elle. Pour faire sortir un voleur de prison ? Ne rêvez pas, Mme de Marsan vous l'interdira, et moi aussi !

La princesse s'assit lourdement sur un siège. Elle était accablée par cette nouvelle.

– Attendons jusqu'à demain, poursuivit la gouvernante d'une voix radoucie. Une fois que ce secrétaire d'État aura classé tous ses papiers et qu'il se sera rendu compte qu'il n'en manque pas, il reviendra peut-être sur ses accusations...

Chapitre 9

Autant dire qu'Élisabeth ne dormit guère cette nuit-là ! Après un souper où elle grignota du bout des lèvres tant son estomac était noué, elle se mit au lit, les larmes aux yeux. Elle s'en voulait tant d'avoir poussé Colin à fouiller le château !

Sa coiffe de nuit enfoncée jusqu'aux oreilles, elle pria pour que Colin soit libéré.

Au matin, elle se réveilla la tête lourde.

– A-t-on des nouvelles ? demanda-t-elle dès qu'elle vit apparaître Mme de Mackau et Angélique.

– Pas encore, répondit la gouvernante. J'irai moi-même me renseigner auprès du prévôt tout à l'heure.

– Je veux vous accompagner.

– Certes pas, la réprimanda Mme de Mackau. Vous avez fait assez de sottises pour le moment. Laissez agir les adultes.

Et elle se saisit d'un long châle de soie bordé de franges qu'elle jeta sur ses épaules.

– Restez ici, ordonna-t-elle en sortant, et n'en bougez pas avant mon retour.

Élisabeth avait le cœur si gros ! Ses yeux tombèrent sur l'automate. Quelqu'un l'avait rhabillé et recoiffé de sa perruque, un serviteur, sans doute.

Elle détestait ce violoniste ! Non seulement il ne rendrait pas sa fortune à Théo, mais il causerait peut-être l'emprisonnement de Colin.

Angélique avait suivi son regard :

– Ce n'est pas de ta faute si Colin s'est mis à chercher le violoniste avec tant d'ardeur.

Élisabeth poussa un énorme soupir :

– Bien sûr que si ! Je suis sa maîtresse, et lui mon valet. Il s'est senti obligé de m'obéir. Fouiller chez les gens, c'est mal. Je n'aurais pas dû l'y encourager.

Elle montra l'automate et continua :

– Je vais le rendre tout de suite à ma sœur Clotilde ! Je ne veux plus jamais le revoir !

Angélique soupira à son tour. Elle s'en saisit, et ne résista pas à l'envie de remonter la clé. Elle le posa et, aussitôt, l'archet se mit à courir sur le violon alors qu'une délicieuse musique s'élevait. Quelques secondes plus tard, la petite main du musicien se tendait vers le pupitre pour tourner la page de la partition.

– Il est pourtant si beau, souffla-t-elle. Chacun de ses gestes est une réplique parfaite d'un mouvement humain. L'artiste a même pris le soin de lui faire lire les notes...

Élisabeth, qui semblait si morose voilà encore quelques instants, poussa un cri aigu et se précipita vers la table :

– Le pupitre ! dit-elle. Le violoniste le regarde ! C'est peut-être là que se cache notre indice !

Elle se saisit de l'automate, et colla son nez sur la partition miniature constituée de deux minuscules feuillets formant un cahier. Dessus étaient dessinées des portées et des notes.

– C'est écrit vraiment petit, pesta-t-elle. Ma loupe, vite !

Elle courut aussi vite que possible jusqu'à sa table de travail, en ouvrit le tiroir, et farfouilla dans les crayons, plumes d'oie, règles et buvards.

– Je l'ai ! s'écria-t-elle en brandissant l'instrument d'un geste victorieux.

– Plaçons-nous à la lumière, proposa Angélique.

Elle attrapa le musicien et se précipita à la fenêtre. Un beau soleil filtrait au travers des carreaux. Le temps d'ajuster la loupe, et Élisabeth parcourait la partition en tremblant d'excitation.

– Rien sur la première page, finit-elle par annoncer avec une moue de dépit.

– Passe vite à la deuxième !

Élisabeth, du bout de son ongle, tourna la partition et découvrit une nouvelle portée agrémentée de rondes et de croches.

– Rien non plus... Voyons la dernière...

À vrai dire, elle n'y croyait plus. Il aurait fallu être fou pour inscrire un message sur un cahier aussi microscopique ! Cependant, malgré sa déception, elle se força à regarder.

Son cœur bondit ! Sur le dernier feuillet, il y avait des lettres !

– Je l'ai ! hurla-t-elle.

Puis elle se mit à sauter sur place avant d'entamer une joyeuse danse, le violoniste dans une main et la loupe dans l'autre.

Mais Angélique s'impatientait :

– Alors ? Vas-tu me laisser languir encore longtemps ? enragea-t-elle. Qu'y a-t-il écrit ?

Élisabeth, ses belles joues rondes toutes rouges d'excitation, retourna s'asseoir à sa table.

– Nous le saurons bientôt. Le temps de prendre un papier et un crayon. Tiens, demanda-t-elle à son amie, dicte-moi ce que tu lis...

Elle lui tendit la loupe, ses yeux bleus brillants de joie, et attendit.

Angélique eut bien du mal à le décrypter :

– Dieu, que c'est écrit petit ! L'encre est un peu passée... Essayons... RG... plus loin L...R... A...Z...O...Y...Z...K..., plus loin G, puis R et G, et enfin I R K !

Le temps de tout noter, et Élisabeth sortait le papier sur lequel elle avait inscrit le code qui lui avait servi à traduire le premier message. L'alphabet, en fait, était décalé de sept lettres. Ainsi, G équivalait à A, H à B, I à C... etc.

Elle venait tout juste de mettre la main dessus lorsque la porte s'ouvrit. Mme de Mackau entra, l'air bien sombre. Élisabeth jeta papier et crayon pour se précipiter vers elle.

– Alors ?

Les sourcils froncés de la gouvernante ne présageaient rien de bon. Elle sembla hésiter et annonça enfin :

– Le prévôt a mis notre Colin au cachot[22]. J'ai eu beau plaider sa cause, personne ne m'a écoutée.

– Oh, non ! s'indigna Élisabeth.

– M. de Gransay accuse Colin d'être entré chez lui par ruse pour espionner et voler. C'est un homme puissant. Il exige que votre valet soit sévèrement puni.

– C'est stupide ! Comment peut-on croire qu'un petit paysan est un espion ? Je dois expliquer à la police ce qu'il s'est passé !

Elle se leva d'un bond et se précipita vers la porte. La gouvernante n'eut pas le temps de la retenir.

Mais, à peine dans le couloir, Élisabeth se rendit compte qu'elle ignorait où aller. Dans

22. Cellule de prison étroite, basse et obscure où l'on enfermait les criminels.

son dos, Mme de Mackau lui criait de revenir… Voyant qu'elle n'obéissait pas, elle courut après elle.

« Théo ! se dit Élisabeth. Lui doit savoir. »

Elle souleva ses jupes et prit ses jambes à son cou. Arrivée aux écuries, elle chercha le jeune page…

– Bon sang ! Il faut que je le trouve… Vite… Ah, le voici !

Il était en train de brosser son cheval.

– Théo ! Où sont les bureaux de la police ?

Élisabeth jeta alors un rapide coup d'œil par-dessus son épaule. Angélique n'était qu'à quelques pas derrière elle, tandis que Mme de Mackau peinait à les rejoindre. « Tant mieux ! pensa-t-elle. J'ai encore une chance de parler au prévôt. »

– Eh bien, répondit Théophile de Villebois, je crois que les policiers ont leurs services dans un des bâtiments réservés aux domestiques…

– Oui ! Les communs, bien sûr !

Elle n'attendit pas davantage, et se remit en route. Par chance, elle était comme son frère Charles, douée pour toutes les activités physiques.

Angélique l'avait rattrapée. Elles y arrivèrent ensemble, tout essoufflées. Mais un garde leur barrait le chemin…

La princesse se grandit de toute sa taille et l'interpella, le menton haut :

– Je suis Élisabeth de France, lui déclara-t-elle d'un air digne, et j'exige de voir sur-le-champ le prévôt de l'Hôtel du roi...

Contrairement à ce qu'elle espérait, l'homme se mit à rire.

Il avait devant lui deux jeunes filles, rouges et échevelées, qui n'avaient rien de princesses !

– C'est cela ! plaisanta-t-il en les détaillant tour à tour. Et moi, je suis l'empereur d'Autriche !

Élisabeth en tapa du pied de colère !

– Laissez-moi entrer, pauvre sot, hurla-t-elle. Je suis vraiment la sœur du roi et, si vous ne m'obéissez pas, je vous ferai jeter à la Bastille !

La menace fit son effet. L'homme, pris de crainte, s'écarta pour lui céder le passage. À l'intérieur, elle distingua plusieurs pièces.

L'une d'elles possédait une grosse porte et une énorme serrure : le cachot. Seulement, il était grand ouvert...

– Il est vide ! Où se trouve Colin ?

Théo venait de les rejoindre.

– Vous cherchez votre nouveau valet ? s'inquiéta-t-il. On ne l'a pas libéré ?

– Non. Et je dois le sauver ! Colin ! cria-t-elle. Où es-tu ?

– Qui va là ? tonna une voix en retour.

Alerté par le bruit, un soldat en uniforme apparut. Elle se planta sous son nez et exigea :

– Je veux voir le prévôt, tout de suite !

– M. le marquis de Sourches est absent. Il vient de partir interroger une famille de paysans.

– De paysans ? répéta un second homme dans le dos du premier. D'espions, veux-tu dire, de voleurs... Lorsqu'il en aura fini avec eux, ils seront bons pour le gibet[23] !

Puis il remarqua les visiteurs et s'étonna :

23. Lieu où l'on pendait les condamnés à mort.

– Que font ces jeunes gens ici ? Pourquoi les a-t-on laissés entrer ?

Il fut plus étonné encore lorsqu'il vit débouler la gouvernante, à bout de souffle.

– Mad...ame ! s'écria-t-elle d'une voix hachée par l'effort, sans même faire attention aux policiers. Mad...ame ! Vous... exagé...rez ! Vous... m'aviez promis... de ne... plus faire de... bêtises !

Les trois hommes la reconnurent aussitôt. Elle était venue, il y avait à peine une heure, pour s'entretenir avec leur supérieur.

– Mais, se justifia Élisabeth, Colin risque de mourir, et sa famille aussi ! Ce monsieur vient de dire que le prévôt était sûr de leur culpabilité ! Je ne peux laisser commettre une telle injustice ! Comment pourrai-je dormir la nuit si je sais que des innocents ont été condamnés par ma faute ?

La gouvernante se radoucit. Elle finit par reconnaître :

– Vous avez... sans doute raison. Je suis censée vous donner une... bonne éducation, et voilà que je vous... encourage à vous taire ! Mais... malheureusement, ma chère enfant, la justice... doit suivre son cours...

– Et si j'allais voir ma belle-sœur Marie-Antoinette ? Elle m'a approuvée lorsque j'ai proposé à Colin de devenir mon valet... Peut-être acceptera-t-elle d'intervenir en sa faveur ?

Mme de Mackau hocha la tête :

– C'est une... excellente idée ! Allez-y... Excusez-moi, ajouta-t-elle, je n'en puis plus... Monsieur le vicomte, demanda-t-elle ensuite à Théo, voulez-vous bien accompagner Madame ? Je vous rejoindrai... auprès de la reine... dès que j'aurai retrouvé mon souffle...

– Avec plaisir, répondit le jeune page.

Il ôta son chapeau et salua galamment la gouvernante, puis il s'empressa d'ouvrir le chemin aux deux filles.

– Vite ! le pressa Élisabeth. Nous n'avons pas une seconde à perdre !

Et ils repartirent tous les trois en courant jusqu'à la porte du château. Hélas, à peine arrivés aux appartements des souverains, ils apprirent que Marie-Antoinette ne s'y trouvait pas.

– La reine est partie suivre la chasse de Sa Majesté le roi, expliqua une femme de chambre.

Élisabeth en serra les poings de rage. Il n'y aurait donc personne pour l'aider ?

– Comment faire ? Comment faire ? répéta-t-elle avec inquiétude. Nous n'avons plus qu'à retrouver la chasse ! jugea-t-elle.

Et elle se remit en marche d'un air décidé vers la porte d'entrée. Angélique l'arrêta d'une main sur le bras :

– Tu ne peux pas ! Si tu quittes le château sans autorisation, Mme de Marsan renverra sûrement maman...

Élisabeth la regarda, éperdue :

– Si je reste ici, Colin sera condamné. Si je rejoins Marie-Antoinette, ta mère sera renvoyée. Que dois-je choisir ?

Elle réfléchit encore et proposa :

– Nous pourrions y aller sans que personne soit au courant. Théo, sellez Framboise, mon cheval, et amenez-le-moi à l'orée du bois. Nous partirons ensuite tous les deux. Vous me servirez d'escorte.

– Et moi, alors ? s'indigna Angélique.

– Mais… tu ne sais pas monter à cheval !

– Si ! Pas aussi bien que toi, bien sûr, mais assez tout de même pour vous suivre…

Tous trois se regardèrent.

– Si nous sommes surpris à nous enfuir, lança Théo à voix basse, moi aussi on me renverra. Ma famille en sera couverte de honte. Et vous, madame, vous serez punie…

– Ah ça ! Mme de Marsan me fera fouetter.

– Moi, renchérit Angélique, je ne pourrai pas faire d'études, et je n'aurai pas de dot pour me marier. Mais… cela en vaut la peine, si nous sauvons Colin.

– Vous avez raison, conclut Théo. Le temps de préparer trois chevaux, et je vous retrouve à l'orée du bois. Je connais un petit sentier, personne ne me remarquera…

Et il partit au pas de course, son chapeau à la main.

Chapitre 10

Élisabeth et Angélique se dépêchèrent de gagner la grande grille qui entourait le château. Un soldat en uniforme y montait la garde. Cependant, son travail était de contrôler les entrées, et non de surveiller les sorties. Elles la franchirent sans qu'un seul de ses sourcils bouge !

Dix minutes plus tard, Théo arrivait en menant trois montures par la bride.

– J'ai eu de la chance, leur dit-il, j'ai raconté à l'écuyer que vous alliez prendre une leçon, et il m'a cru.

Ils se cachèrent derrière un bosquet où le page aida ses deux amies à se mettre en selle. La chose n'était pas facile ! Elles portaient leurs robes de tous les jours, sous lesquelles se trouvaient de légers paniers[24] d'osier, qui permettaient de gonfler leurs jupes. Quant à leurs élégants escarpins, ils ne ressemblaient en rien à des bottes d'équitation, si commodes pour chausser les étriers.

– Monter à cheval aurait été plus pratique avec une amazone[25] ! soupira Élisabeth. Tu y arriveras ? demanda-t-elle ensuite à Angélique.

– Oui, répondit son amie avec une légère angoisse dans la voix. Si je vous ralentis, vous poursuivrez sans moi.

Ils partirent au petit trot puis, le château hors de vue, ils se lancèrent au galop. Quelques minutes plus tard, ils entendirent les aboiements des chiens et le son des cors[26] qui gui-

---

24. Sorte de cage en osier que l'on attachait à la taille sous les jupes et les jupons.

25. Tenue d'équitation que portaient les femmes, composée d'une jupe longue et large et d'une veste très ajustée.

26. Sorte de trompette.

dait les chasseurs. Élisabeth tira sur les rênes de Framboise pour s'arrêter à un carrefour.

– La chasse n'est plus très loin. Prenons le chemin de gauche !

Ils repartirent à un rythme d'enfer et aperçurent enfin les voitures des dames.

Comme tous ses ancêtres, Louis-Auguste adorait chasser. Si les messieurs de sa suite le faisaient à cheval, la plupart des dames préféraient participer tranquillement assises dans des calèches découvertes.

Élisabeth ne tarda pas à reconnaître celle de Marie-Antoinette.

– Flûte ! s'angoissa-t-elle. Elle est avec Mme de Noailles, nous sommes cuits ! « Madame l'Étiquette » nous dénoncera sûrement à Mme de Marsan...

– Eh bien, tenta Théo, vous n'aurez qu'à lui dire que votre gouvernante vous a autorisée à voir la reine.

– Mais... c'est un mensonge !

– Non ! se mit à rire Angélique. Théo a raison. C'est la pure vérité ! Seulement ma mère n'a pas précisé si nous devions la rejoindre au château...

– ... ou à la chasse ! termina Théo.

– Allons-y vite ! lança Élisabeth.

– Babet ? s'étonna la souveraine.

Puis elle remarqua sa jolie robe de soie bleue agrémentée d'un large ruban à la taille... D'ordinaire, les femmes ne montaient pas à cheval ainsi vêtues.

– Firmin ! ordonna-t-elle à son cocher, arrêtez-vous ! Y a-t-il un problème ? demanda-t-elle ensuite à sa jeune belle-sœur.

Élisabeth ne savait pas par quoi commencer... Les yeux de la sévère Mme de Noailles ne la quittaient pas. Elle se lança :

– Vous souvenez-vous de mon valet, Colin ?

– Le fils de cette femme que nous avions renversée ? termina Marie-Antoinette. Oui, fort bien.

– Un certain M. de Gransay, qui est secrétaire d'État, l'accuse d'espionnage alors qu'il ne sait ni lire ni écrire. La police est partie arrêter sa mère et ses frères et sœur, sous prétexte qu'ils sont sûrement complices...

La reine poussa un « oh ! » empli d'indignation et de colère.

– Cela ne se passera pas comme ça ! Cette malheureuse a déjà tant de soucis ! Firmin ! ordonna-t-elle à son cocher, conduisez-moi tout de suite chez ces gens !

– Votre Majesté ! la reprit Mme de Noailles. Cela ne se peut ! Vous ne pouvez quitter la chasse de votre époux. L'étiquette l'interdit.

– Êtes-vous sans cœur ? la rabroua la reine. Cette famille a besoin de moi ! Descendez, je vous prie, et montez dans une autre voiture. Quant à vous, Babet, galopez jusqu'à leur masure et tentez de convaincre le prévôt. Je vous suis !

Les trois jeunes gens obéirent. Quelques minutes plus tard, ils arrivaient dans la clairière de la famille de Colin.

Hélas, les policiers l'avaient mise dans un triste état ! Toutes leurs affaires étaient retournées, la chèvre et les poules s'étaient enfuies, et la paysanne pleurait de désespoir tandis que le prévôt tonnait :

– Inutile de jouer les infirmes pour m'apitoyer ! Avouez votre crime et la justice sera plus clémente !

– Ma mère est sourde et muette ! hurla à son tour Colin. Elle ne peut vous répondre !

Le jeune valet, maintenu par deux gardes, gesticulait comme un beau diable, sans parvenir à se libérer.

– Ce ne sont là que des astuces de gredins, répliqua avec dédain le chef des policiers. Cela ne prend pas avec moi !

Et il secoua la femme de plus belle.

– Assez, monsieur ! s'écria Élisabeth en sautant de son cheval.

L'homme se retourna.

– Qui êtes-vous donc, pour oser m'interrompre ?

– La sœur de votre maître !

L'homme n'en crut pas un mot. Cependant, il aperçut l'uniforme des pages que portait Théo, et il se radoucit :

– Ces gens sont des voleurs. Je comprends qu'une demoiselle, bien née et délicate comme vous, soit émue d'assister à cette scène, mais je ne fais que mon travail. Je poursuis les criminels. D'ailleurs, j'ai des preuves de leur culpabilité ! Regardez ce que j'ai trouvé dans leurs affaires...

Il montra au creux de sa main une petite bourse de satin et poursuivit :

– À coup sûr, ce Colin l'a dérobée dans un appartement du château !

– Ah mais, ah mais... s'indigna Élisabeth. Cette bourse leur appartient !

Par chance, la voiture de Marie-Antoinette arrivait. Le prévôt, reconnaissant la visiteuse, se précipita à sa rencontre pour la saluer, chapeau bas :

– Votre Majesté ? Auriez-vous perdu votre chemin ? Puis-je vous aider ?

– Ma belle-sœur, répliqua la souveraine avec de la colère dans la voix, vient de m'apprendre que vous arrêtiez mes protégés...

– Vos pro... protégés ? répéta-t-il en avalant sa salive avec difficulté. Vous connaissez donc ces paysans ?

– Parfaitement ! reprit la reine en levant le menton. J'ai même donné personnellement à cette dame la bourse que vous tenez dans votre main ! Je vous ordonne de la relâcher !

Le prévôt s'empressa de s'exécuter, non sans tenter de se justifier :

– Ce Colin est un voleur. On l'a surpris chez M. de Gransay, à examiner ses papiers...

Élisabeth le coupa aussitôt :

– Il fouillait à ma demande. J'avais égaré un objet. Colin a essayé de le rechercher dans tous les appartements du château. Il ignorait que ce qu'il faisait était interdit...

– Eh bien, monsieur, ajouta Marie-Antoinette, vous voyez que ce valet n'a fait qu'obéir à sa maîtresse. Si vous voulez accuser quelqu'un de vol et d'espionnage, vous devrez arrêter la sœur du roi !

Ces mots étaient accompagnés d'un regard malicieux, mais l'homme avait saisi toute l'horreur de la chose : arrêter la sœur du roi ? Il serait renvoyé, c'était certain !

– Bien sûr, reconnut-il avec un sourire forcé, si ce valet n'a fait qu'obéir, et que la bourse appartient à sa mère, je ne peux que les délivrer...

Et il les relâcha ! La famille se jeta aux pieds de la reine.

– Ne me remerciez pas, leur dit-elle en les relevant. Vous êtes innocents !

Puis elle ajouta :

– Babet, rentrez vite au château. Quant à moi, je regagne la chasse de votre frère, avant que l'on remarque mon absence.

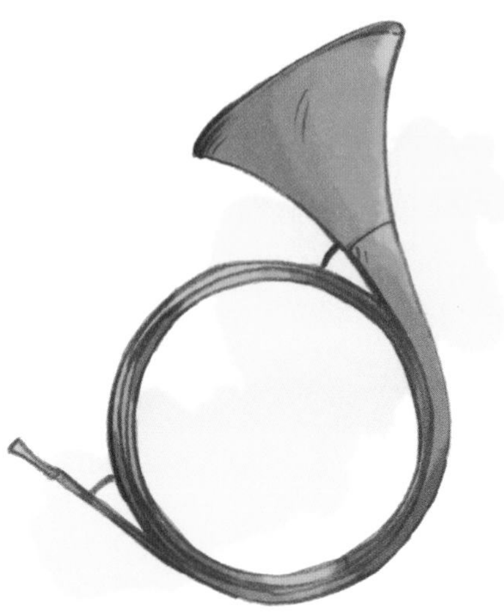

Chapitre 11

Aïe... Mme de Mackau semblait si inquiète ! Et Mme de Marsan pinçait les lèvres, toute prête à sévir...

– Vous me ferez 500 lignes, ordonna-t-elle. « *Je ne m'échapperai plus sans autorisation et j'écouterai ma gouvernante* », et vous serez mise au pain sec et à l'eau jusqu'à demain !

– D'accord ! soupira Élisabeth. Je le mérite, c'est vrai.

Au moins, elle avait évité le fouet...

– Comment va Colin ? demanda Mme de Mackau.

– Bien, maman, répondit Angélique. Sa Majesté la reine est intervenue à temps auprès du prévôt. Colin et sa famille sont libres.

À peine Mme de Marsan sortie, la sous-gouvernante déclara d'un air faussement sévère :

– Je suis mécontente que vous m'ayez trompée... mais je suis aussi très fière que vous ayez sauvé votre valet. Bravo !

Élisabeth se jeta de bon cœur dans ses bras.

– Je ne voulais pas désobéir, dit-elle en se serrant contre elle, mais il nous fallait agir vite...

– Et, ajouta Théo, j'étais là pour protéger ces demoiselles...

– Vous êtes un vrai chevalier, Monsieur le vicomte, le remercia Mme de Mackau.

– Le violoniste ! s'écria Élisabeth, qui venait d'apercevoir l'automate et la loupe. Nous avons découvert un message sur la partition.

– Eh bien, se mit à rire la gouvernante. Qu'attendez-vous ?

Ils se précipitèrent vers la table. Le temps de prendre la feuille de papier où était inscrit le code, et ils décryptèrent :

– *« La flûtiste a la clé »*, lut Angélique.

– Nous voilà avec un nouveau mystère ! soupira Théo. Où se trouve la flûtiste, et de quelle clé s'agit-il ?

– Je crois savoir, répondit Élisabeth d'une voix tout excitée. Clotilde m'a raconté qu'elle l'avait vue au château de Trianon...

– Trianon ? N'est-ce pas dans le parc de Versailles ?

– Exactement. Dès que nous serons de retour au palais, nous pourrons reprendre nos recherches.

– Que diriez-vous d'un bon goûter ? les interrompit Mme de Mackau. Après cette longue course à cheval, vous devez avoir faim.

– C'est vrai que je meurs de faim ! s'écria Élisabeth. Mais... bougonna-t-elle ensuite,

Mme de Marsan m'a mise au pain sec et à l'eau...

– Elle n'est pas obligée de le savoir, lui glissa la gouvernante avec un clin d'œil.

Et les trois amis virent apparaître un serviteur chargé d'un plateau couvert de pâtisseries et de limonade...

À suivre...

La Cour

La cour de France comptait près de 10 000 personnes ! Une moitié se composait des domestiques, l'autre moitié, des courtisans.

Ces derniers, souvent de haute noblesse, suivaient la famille royale dans tous ses déplacements.

Le roi leur accordait des titres et des pensions. Ils étaient nourris et logés aux frais du royaume et avaient droit à des divertissements : bals, théâtre, chasses et jeux… Certains, les plus proches du roi et de la reine, pouvaient également habiter au château, souvent dans de minuscules appartements, ce dont ils étaient pourtant très fiers !

Être courtisan était un grand honneur.

Cependant, ils devaient prouver leur fidélité aux souverains en les servant avec ferveur. Ils respectaient l'étiquette, et participaient à des cérémonies très strictes, telles que les levers et les couchers du roi. Au moindre faux pas, ils étaient « disgraciés », c'est-à-dire renvoyés, couverts de déshonneur.

Les femmes occupaient des emplois de dames d'honneur, de lectrices, de gouvernantes ou de dames d'atour.

Les messieurs pouvaient être intendants, secrétaires ou gardes du corps...

À la naissance d'Élisabeth, le roi Louis XV recruta pour la servir du personnel composé de médecins, d'apothicaires, de chapelains, de coiffeurs, de maîtres à danser, à dessiner, de maîtres de musique, de professeurs de français, de mathématiques, de physique, d'équitation, de voltige... Plus 12 femmes de chambre, des valets, des servantes de cuisine... Tout ce personnel se trouvait sous l'autorité de Mme de Marsan, gouvernante des Enfants de France, secondée par Mme de Mackau.

À 15 ans, Élisabeth eut le droit de monter sa propre maison, qu'elle dirigea elle-même. Qui choisit-elle comme dame d'honneur ? Angélique, bien sûr !

Élisabeth
princesse à Versailles

Nous sommes en 1774, Élisabeth a 11 ans et c'est la petite sœur de Louis XVI. Orpheline de bonne heure et benjamine de la fratrie, Élisabeth est la « chouchoute » de la famille et elle sait en jouer. Avec sa grande amie Angélique de Mackau, elle va être amenée à résoudre bien des intrigues à la cour de France .

Élisabeth et Angélique mènent l'enquête à la cour de Versailles pour résoudre le vol d'un précieux tableau.

L'heure est grave, Colin, le jeune valet d'Élisabeth, est accusé de vol. Comment prouver son innocence ?

Tome 3 à paraître en janvier 2016

Conception graphique : Delphine Guéchot

Imprimé en France par Pollina S.A. en août 2015 - L72656
Dépôt légal : septembre 2015
Numéro d'édition : 21730
ISBN : 978-2-226-31572-4